Mae'r llyfr

IDREF WEN

hwn yn perthyn i:

_____

_____

_____

_____

FFRED

A'R DIWRNOD
WYNEB-I-WAERED

FFRED

A'R DIWRNOD
WYNEB-I-WAERED

Tony Maddox

DREF WEN

"'Dan ni'n mynd i'r farchnad,
Ffred," meddai Bob y ffermwr.
"Cofia ofalu am yr anifeiliaid,
a phaid gadael iddyn nhw
wneud dim byd drwg."

"Diwrnod bach tawel i mi," meddyliodd
Ffred. "Dim i'w wneud ond cysgu
yn yr haul." Edrychodd o'i gwmpas.
Roedd yr ieir ar y buarth, yr hwyaid
wrth y llyn a'r moch yn y twlc.

Roedd yr afr yn y berllan
yn chwilio am afalau, ac roedd
y fuwch yn pori ar y cae.

Roedd popeth yn iawn, i bob golwg.
"Mi a' i i gladdu f'asgwrn y tu ôl
i'r sgubor," meddyliodd Ffred.

Ond pan ddaeth yn ôl doedd dim
golwg o'r ieir, na'r hwyaid,
na'r moch, na'r afr, na'r fuwch!

Yna gwelodd fod drws y tŷ ar agor.
Edrychodd i mewn, a dyna lle'r oedd
yr ieir a'r hwyaid…yn gwylio'r teledu!

Aeth i'r gegin.
Roedd y moch wrthi'n llowcio
sbageti a ffa pob!

Rhedodd i fyny i'r stafell wely.
Roedd yr afr yn gwisgo cot a het
newydd sbon Mrs Bob!

A phan agorodd ddrws y stafell molchi,
allai fe ddim credu ei lygaid…

...roedd y fuwch yn cael bath byrlymau!

Yn sydyn dyma'r cloc yn taro pedwar!
Byddai Bob a Mrs Bob yn ôl mewn chwinciad!
"Wff, wff, wff!" meddai Ffred,
gan yrru'r anifeiliaid allan.

Rhuthrodd i ddiffodd y teledu
a golchi'r llestri, ac roedd e
newydd orffen tacluso pan ddaeth
tryc Bob i mewn i'r buarth.

"Jyst mewn pryd!" meddyliodd Ffred. "Dyna lwc!"
Ond – oedd e wedi anghofio rhywbeth, tybed?…
Y fuwch!…Roedd hi'n dal yn y bath!
"O diar!" ochneidiodd Ffred,
a chaeodd ei lygaid.

Y peth nesaf glywodd e
oedd llais Bob y ffermwr.
"Deffra, Ffred! 'Dan ni adre!
Gest ti ddiwrnod bach tawel?"
"Tawel – myn gafr i!" meddyliodd
Ffred. "Diwrnod wyneb-i-waered,
dyna beth ges i!"

Ond pan edrychodd o gwmpas y fferm,
roedd popeth fel arfer,
ac er syndod mawr iddo
roedd y fuwch yn ôl ar y cae.

"Diolch byth!" meddyliodd Ffred.
"Rhaid mai breuddwyd
oedd y cyfan!"

...TYBED?

Dyma rai llyfrau stori lliwgar clawr meddal o'r
DREF WEN
ichi eu mwynhau . . .

Y Ci Bach Newydd *Laurence a Catherine Anholt*

Y Dyn Eira *Raymond Briggs*

Fferm Swnllyd *Rod Campbell*

Y Lindysyn Llwglyd Iawn *Eric Carle*

Mr Arth a'r Picnic *Debi Gliori*

Mr Arth yn gwarchod *Debi Gliori*

Arth Hen *Jane Hissey*

Eira Mawr *Jane Hissey*

Pen-blwydd Ianto *Mick Inkpen*

Y Ci Mwya Ufudd yn y Byd *Anita Jeram*

Y Wrach Hapus *Dick King-Smith/Frank Rodgers*

Eira Cyntaf *Kim Lewis*

Ffred, Ci'r Fferm *Tony Maddox*

Bore Da, Broch Bach *Ron Maris*

Twm Chwe Chinio *Inga Moore*

Beth Nesaf? *Jill Murphy*

Heddwch o'r Diwedd *Jill Murphy*

Pum Munud o Lonydd *Jill Murphy*

Heddlu Cwm Cadno *Graham Oakley*

Mrs Mochyn a'r Sôs Coch *Mary Rayner*

Perfformiad Anhygoel Gari Mochyn *Mary Rayner*

Arth Bach Drwg *John Richardson*

Cwningen Fach Ffw *Michael Rosen/Arthur Robins*

Wil y Smyglwr *John Ryan*

O, Eliffant! *Nicola Smee*

Wyddost ti beth wnaeth Taid? *Brian Smith/Rachel Pank*

Methu cysgu wyt ti, Arth Bach? *Martin Waddell/Barbara Firth*

Gwasg y Dref Wen, 28 Ffordd Yr Eglwys, Yr Eglwys Newydd,
Caerdydd CF4 2EA Ffôn 01222 617860